par Patricia Bouchenot-Déchin
co-commissaire de l'exposition « André Le Nôtre en perspectives, 1613-2013 », château de Versailles

André Le Nôtre

Un visionnaire à l'imagination infinie

Issu d'une grande lignée de jardiniers du roi, André Le Nôtre demeure à jamais le maître absolu des jardins français…

Page 2, École française, *Recueil des châteaux, jardins, bosquets et fontaines de Versailles, Trianon et la Ménagerie* (planche), 1747. Aquarelle, 21,5 x 30,5 cm. Versailles, châteaux de Versailles et de Trianon.

Ci-contre, Jean-Baptiste Martin l'Ancien (1659-1735), *Vue du Grand Trianon prise du côté de l'avenue,* XVIIIe siècle. Huile sur toile, 300,5 x 226 cm. Versailles, châteaux de Versailles et de Trianon.

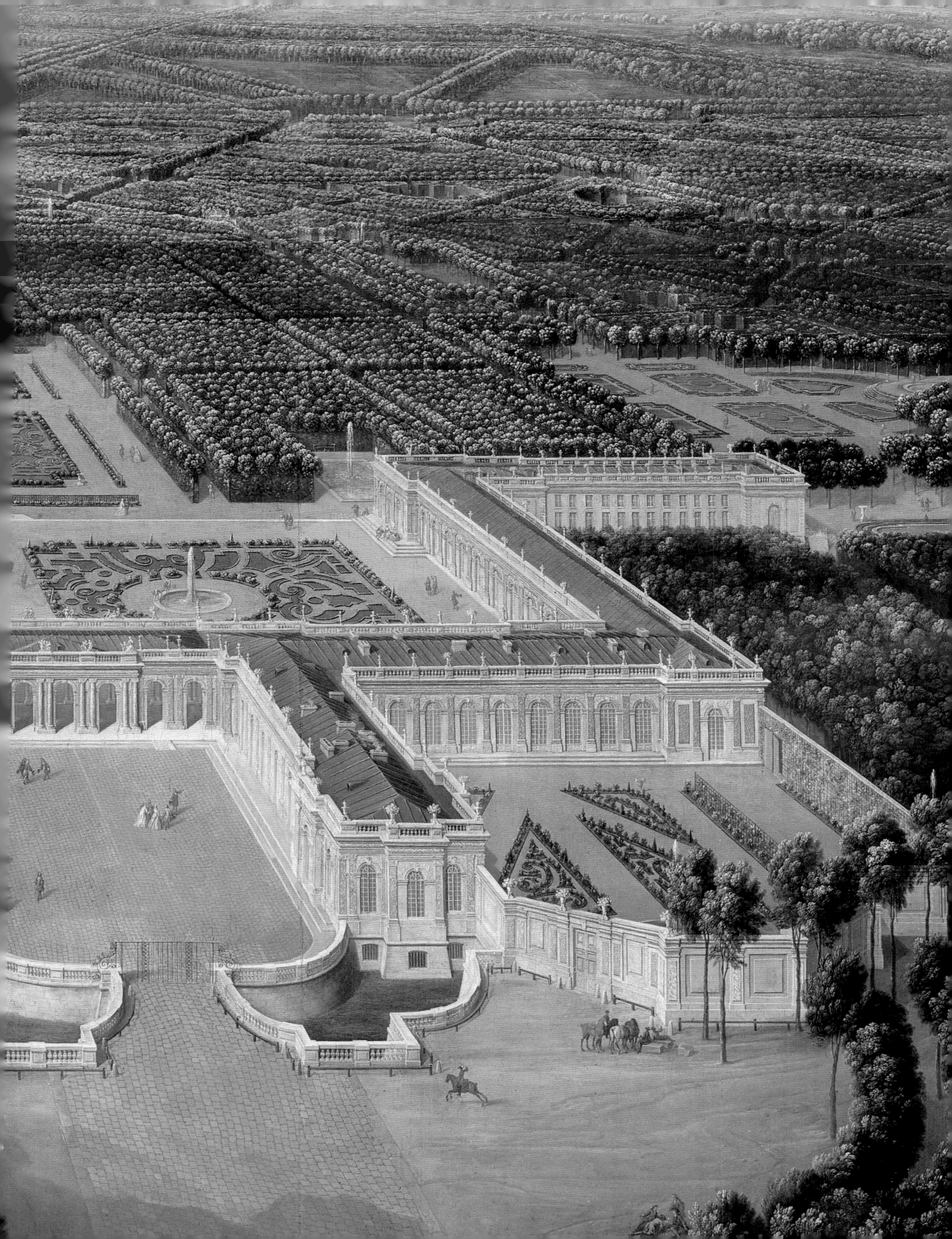

L'histoire aime les légendes et celle de Le Nôtre fut inlassablement recopiée et comme toute belle histoire, elle enchante. Il était une fois un jardinier...

L'image de Le Nôtre avec sa bêche et son chapeau à la main, parti de rien, devant tout à Fouquet, arraché à Vaux, avec entre autres l'architecte Louis Le Vau et le peintre Charles Le Brun, pour atterrir sur le chantier de Versailles, est si saisissante que l'on peut se demander ce qui peut l'éclipser. Quand la légende est plus belle que la vérité, c'est paraît-il la légende qu'il faut imprimer. Mais quand l'histoire dépasse la fiction, c'est elle qu'il faut rétablir d'autant que celle de Le Nôtre fut volontairement manipulée dès son vivant.

Le nonce du Pape au moment de l'ouverture de sa succession alla jusqu'à écrire qu'il était né dans la « misère la plus abjecte » pour s'étonner de l'immense fortune qu'il avait accumulée au moment de son décès. On parlait à Rome d'un million de lires... Qu'en fut-il vraiment ?

Vous avez dit jardinier ?

Quand André Le Nôtre naît le 12 mars 1613 à Paris, sa famille est depuis quarante ans au service des rois et habite depuis trente ans au cœur du jardin des Tuileries. Héritier de techniques, d'échanges et d'un savoir-faire considérables, l'enfant apparaît certes à la bonne place et au bon moment, mais ses talents multiples et peu communs secondés par une formation exceptionnelle et un réseau de parentèle et de clientèle d'une force considérable lui permirent de devenir l'homme de son temps, celui de tous les temps. On le dit fils et petit-fils de jardiniers certes, mais jardiniers de roi. Les Le Nôtre n'étaient pas jardiniers au sens actuel où nous l'entendons. Titulaires d'une « charge », dont la seule acquisition constituait un véritable ascenseur social, ils bénéficiaient d'un emploi

Eustache Le Sueur
(1616-1655),
Plan de la Chartreuse de Paris porté par deux anges,
1645-1648.
Huile sur bois,
191 x 285 cm.
Paris, musée du Louvre.

héréditaire d'officier au service de Sa Majesté avec un certain nombre d'avantages pour peu que les finances du royaume permettent de construire et d'entretenir des bâtiments et des jardins ou tout simplement de payer ses serviteurs...

Arrivé dans les bagages de Catherine de Médicis vers 1570 comme simple jardinier « fruitier » à Paris, Pierre Le Nôtre, son grand-père, devint très vite jardinier du roi et l'un des plus réputés maîtres jardiniers de Paris. Son fils unique Jean fut non seulement jardinier d'Henri IV puis de Louis XIII, chargé du jardin des Tuileries, mais il était déjà dessinateur des jardins de Sa Majesté. Homme ambitieux, non dénué de talents, il sut monopoliser tous les emplois en faveur de sa famille, s'entourer de collaborateurs compétents et acquérir une clientèle prestigieuse et fidèle, mais turbulente et pas toujours au mieux avec le pouvoir royal.

Son fils André, dès sa naissance, était destiné non seulement à lui succéder — servir le roi était un honneur insigne, recherché et qui ne se refusait pas —, mais aussi appelé à exercer un jour des fonctions encore plus prestigieuses en rachetant l'office de contrôleur général des Bâtiments du roi détenu par un proche. Restait à le financer. Restait aussi à surmonter les aléas de l'histoire, de la grande histoire, avec son cortège de guerres, de famines, de Fronde, et celle liée aux destins personnels qui peuvent se briser pour avoir voulu monter trop haut. Il n'y a pas que les grands personnages qui subissent des revers de fortune. Loin d'abattre le jeune André Le Nôtre, les difficultés rencontrées et les épreuves seront une des clés de son parcours et de sa réussite.

Un homme connu

Contrairement aux usages de la profession qui prévoyaient une formation « en interne », parmi ses pairs, Jean Le Nôtre voulut pour son fils une formation adaptée aux nouvelles demandes d'une clientèle qui voyait toujours plus grand. Alors que lui-même dessinait, il lui fait compléter sa formation chez un peintre. Il aurait pu choisir Rubens, Champaigne ou Blanchard, il l'envoie chez Simon Vouet. Les années

Simon Vouet (1590-1649), *Étude pour une figure d'Endymion,* vers 1630. Dessin, pierre noire, rehauts de craie blanche sur papier brun, 21,6 x 39,5 cm. Rouen, musée des Beaux-Arts.

Nicolas Poussin
(1594-1665),
Le Christ et la Femme adultère, 1653.
Huile sur toile,
121 x 195 cm.
Paris, musée du Louvre.

qu'André Le Nôtre passe auprès du « chantre du renouveau » sont décisives tant pour ce qu'il y apprend que pour le réseau d'amitiés et de fidélités qu'il se constitue.

Sa formation achevée, il pourrait travailler comme la plupart de ses confrères auprès de son père. Il n'en est rien. Début 1635, il est nommé premier jardinier de Monsieur, frère du roi, à savoir Gaston d'Orléans, frère de Louis XIII, soit une continuité historique dans la protection accordée par les Orléans aux Le Nôtre. Au même moment, François Mansart est nommé premier architecte, mais contrairement à ce qui a été affirmé plus tard par l'entourage de

Jan I Brueghel (1568-1625), *La Bataille d'Issos dit autrefois : Bataille d'Arbelles,* 1602. Huile sur bois, 86 x 135 cm. Paris, musée du Louvre.

Antoon Van Dyck (1599-1641), *Gaston de France, duc d'Orléans,* 1634. Huile sur toile, 193 x 119 cm. Chantilly, musée Condé.

Jules Hardouin-Mansart, Le Nôtre avait déjà acquis des « teintures » en matière d'architecture avant de le rencontrer.

Pour des raisons personnelles et exceptionnelles, André Le Nôtre prendra la succession de son père plus tôt que prévu tout en conservant sa charge auprès de Gaston d'Orléans. Son mariage avec Françoise Langlois en 1640, qui contribuera à élargir ses réseaux, coïncide avec l'arrivée de Poussin à Paris. À dater de ces années-là, les liens entre Le Nôtre et le milieu des peintres, des collectionneurs et des marchands d'art ne cessent de s'enrichir tandis que l'on découvre le jeune jardinier proche de cercles littéraires, scientifiques et religieux d'une manière plus étroite qu'on ne le soupçonnait.

Quand Louis XIII meurt en 1643, Louis XIV a cinq ans et Le Nôtre est déjà un homme connu alors même qu'il n'a pas encore été nommé dessinateur. Il a déjà plusieurs chantiers derrière lui et un réseau professionnel d'une étonnante richesse. À peine promu dessinateur de Sa Majesté, il donne les dessins et dirige son premier chantier royal attesté qui est l'édification du nouveau jardin de la reine à Fontainebleau tandis qu'il multiplie les réalisations auprès de commanditaires privés.

Un homme célèbre

Fouquet en faisant graver les jardins dessinés par le Nôtre et en veillant à leur diffusion fait connaître Vaux-le-Vicomte à toute l'Europe et chacun de ses maîtres d'œuvre, leur offrant une renommée que leurs précédents chantiers, tel celui du Raincy, ne leur

Gaſton de France
Frere unique du Roy

Nicolas Robert (1614-1685), *Portrait de Jean-Baptiste Colbert,* XVIIe siècle. Miniature sur vélin, gouache, 40,5 x 30,2 cm. Paris, musée national de la Marine.

Gabriel, Adam et Nicolas Perelle, « Vue du jardin des Tuileries comme il est à présent en 1680 » planche extraite de *Vues des plus beaux bâtiments de France,* Langlois, Paris, 1680. Estampe, 18 x 27,5 cm. Versailles, châteaux de Versailles et de Trianon.

avaient pas apportée alors que les équipes étaient les mêmes qu'à Vaux. L'histoire de Fouquet et de Le Nôtre est aussi celle d'une fidélité. En rentrant d'Italie en octobre 1679, le jardinier du roi s'arrête à la forteresse de Pignarol pour rendre visite à son ancien mécène ; il est l'un des derniers à voir le prisonnier. Quelques mois plus tard, la nouvelle de sa mort vient stupéfier ses amis.

Jardinier, dessinateur, architecte, ingénieur et hydraulicien, paysagiste et urbaniste, véritable « magicien de l'espace », André Le Nôtre, parce qu'il est le mieux placé pour pouvoir le faire, va transformer les rêves de ses commanditaires en réalité. Du moment qu'il est au roi, tout le monde veut l'avoir. Lui-même confia que têtes couronnées, princes, cardinaux, évêques, chanceliers, premiers présidents, ministres des Finances et trésoriers du roi l'inondaient régulièrement de flatteries. Lettres et dessins, portraits et cadeaux de prix confirment ses dires et nous fournissent des noms, des visages et des lieux qui soudain s'illuminent comme des évidences.

Un des secrets de sa réussite repose dans ses méthodes de travail et les équipes dont il sait s'entourer. Après avoir bénéficié des collaborateurs hérités de son père, apparentés ou étroitement liés, il renforce progressivement ses équipes, comprenant des jardiniers et des dessinateurs, mais aussi des fontainiers ou de jeunes architectes. Il les envoie se former ailleurs puis les récupère une fois un certain niveau acquis. Travaillant sept jours sur sept, de l'aube jusque tard dans la nuit, il est doté d'une santé exceptionnelle qui lui permet, malgré l'âge et la maladie, de réchapper au terrible hiver 1693-1694, et de continuer à fournir des plans pour des particuliers et des souverains étrangers jusqu'à sa mort.

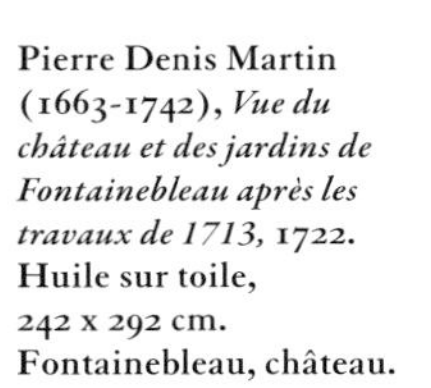

Pierre Denis Martin (1663-1742), ***Vue du château et des jardins de Fontainebleau après les travaux de 1713,*** **1722. Huile sur toile, 242 x 292 cm. Fontainebleau, château.**

Un homme illustre

Ses compétences vont lui permettre non seulement de porter à sa perfection ce que l'on appellera le jardin français, mais d'introduire des innovations qui, pour un certain nombre de raisons, ne pourront jamais être reprises. Ses créations seront imitées, mais jamais égalées. L'audace et l'ampleur de celles-ci, nées de la rencontre d'un site, d'un commanditaire et de ce visionnaire à l'imagination et au savoir-faire sans équivalents, bouleversent les conceptions de son époque et fascinent ses contemporains. Au nom de Vaux, de Versailles et de Chantilly, mais aussi de Clagny ou de Meudon, on lui demandera des dessins et des élèves pour les réaliser ou les adapter en Angleterre, en Suède, au Danemark, en Allemagne et en Italie.

Contrôleur général des Bâtiments, des Jardins, des Arts et des Manufactures du roi, André Le Nôtre exerce cet emploi dont les fonctions ne cessent de s'élargir de 1657, année où il l'acquiert dans des conditions tout à fait privilégiées, jusqu'à sa mort en 1700. En exercice une année sur trois, ses responsabilités sont bien réelles et il les assume auprès du surintendant de l'administration des Bâtiments du roi, un des plus importants départements ministériels sous Louis XIV, roi bâtisseur, digne héritier de ses glorieux prédécesseurs François Ier et Henri IV, servant ainsi successivement entre autres Colbert puis Louvois. Sa probité est reconnue de tous au point qu'il lui est demandé de mener des missions de contrôle exceptionnelles, des années où il ne devrait pas être en exercice et sur des années qui ne le concernent pas. Comme le lui écrit Louvois après un épisode mémorable : « Sa Majesté vous sait gré de l'avis que vous lui donnez et vous ordonne de lui dire toujours avec liberté ce que vous penserez. »

L'ami du roi

Le roi, profondément marqué par l'expérience de la Fronde, aime les visages connus. Celui de Le Nôtre appartient à l'univers des serviteurs à la loyauté indéfectible, qui le rassurent. Un des meilleurs amis du jardinier n'est-il pas précisément Bontemps, premier valet de chambre de Louis XIV ? Jeune, le roi aime passionnément les spectacles, une passion que Le Nôtre partage. La chasse et la vie en plein air étant une nécessité vitale chez les Bourbon, Le Nôtre offre un cadre inégalé pour les plaisirs du roi et de sa cour. Mieux, il fait des jardins un cadre de cour renouvelé. Le Nôtre est un connaisseur reconnu en matière d'antiques, mais aussi de peinture, une conversation qui doit agréer au roi et qui l'a fait remarquer par d'autres interlocuteurs cultivés dans maintes occasions.

Quand pour la première fois Le Nôtre se rend en Italie, c'est en 1679, il a soixante-six ans. L'histoire a retenu qu'il fut reçu par le pape et qu'il l'aurait embrassé comme du bon pain. Mais, la vérité est quelque peu différente. Le contexte de son départ

Carlo Maratta (1625-1713), *André Le Nôtre,* 1679-1681. Huile sur toile, 113 x 85,5 cm. Versailles, châteaux de Versailles et de Trianon.

André Le Nôtre, *Recueil de plans de châteaux et jardins,* planche 28 : projet de parterres et bassins pour les jardins du château de Versailles : croquis pour une fontaine, XVIIe siècle. Lavis, plume (dessin).

Claude Gellée dit
Le Lorrain (1600-1682),
Port de mer au soleil couchant, 1639.
Huile sur toile,
103 x 137 cm.
Paris, musée du Louvre.

Jean-Baptiste Martin
l'Ancien (1659-1735),
Vue de la ville et du château de Versailles prise de la butte de Montbauron,
vers 1690.
Huile sur toile,
260 x 184 cm.
Versailles, châteaux de Versailles et de Trianon.

rend chacune de ses interventions d'autant plus remarquables. Envoyé en mission officielle par Colbert, celui-ci veille sur lui à distance avec une vigilance qui en dit long sur leurs relations et sur l'intérêt que le roi lui porte. Les conditions seules de son voyage dépassent tout ce que l'on peut imaginer. Il partit dans la plus prestigieuse des compagnies, embarqué à bord de la Réale, et escortée d'une escadre composée de vingt-huit galères et seize vaisseaux. Il rencontre tous les géants de son temps, retrouvant Le Bernin, découvrant Maratta qui, honneur exceptionnel, accepte de le portraiturer.

De la gloire et de l'honneur

Son extraordinaire collection d'œuvres d'art révèle ses goûts : Poussin, Le Lorrain, L'Albane, mais aussi Brueghel, Bril, Lemaire, Joos de Momper et Wouwermans, Rembrandt et Véronèse… Il possédait près de cent cinquante peintures et chefs-d'œuvre, mais aussi des bronzes, des statues, des bustes, des porcelaines, des estampes et des médailles. Ses cabinets, ouverts au public, sont mentionnés dans les guides touristiques de l'époque. À l'âge de quatre-vingts ans, Le Nôtre couvert d'honneurs, anobli, fait chevalier de l'ordre de Saint-Michel, prend sa retraite officielle et frappe l'Europe entière en offrant au roi les chefs-d'œuvre de sa collection. Ce don est l'une des plus importantes contributions d'un particulier à l'enrichissement des collections nationales. Sa collection en revanche est, selon son vœu, dispersée après son décès.

À sa mort, en 1700, *Le Mercure galant* lui rend un hommage appuyé, soulignant de manière très juste ce que fut Le Nôtre : « Le Roy vient de perdre un homme rare, et zélé pour son service, et fort singulier dans son Art, et qui lui faisait honneur. »

Vaux-le-Vicomte

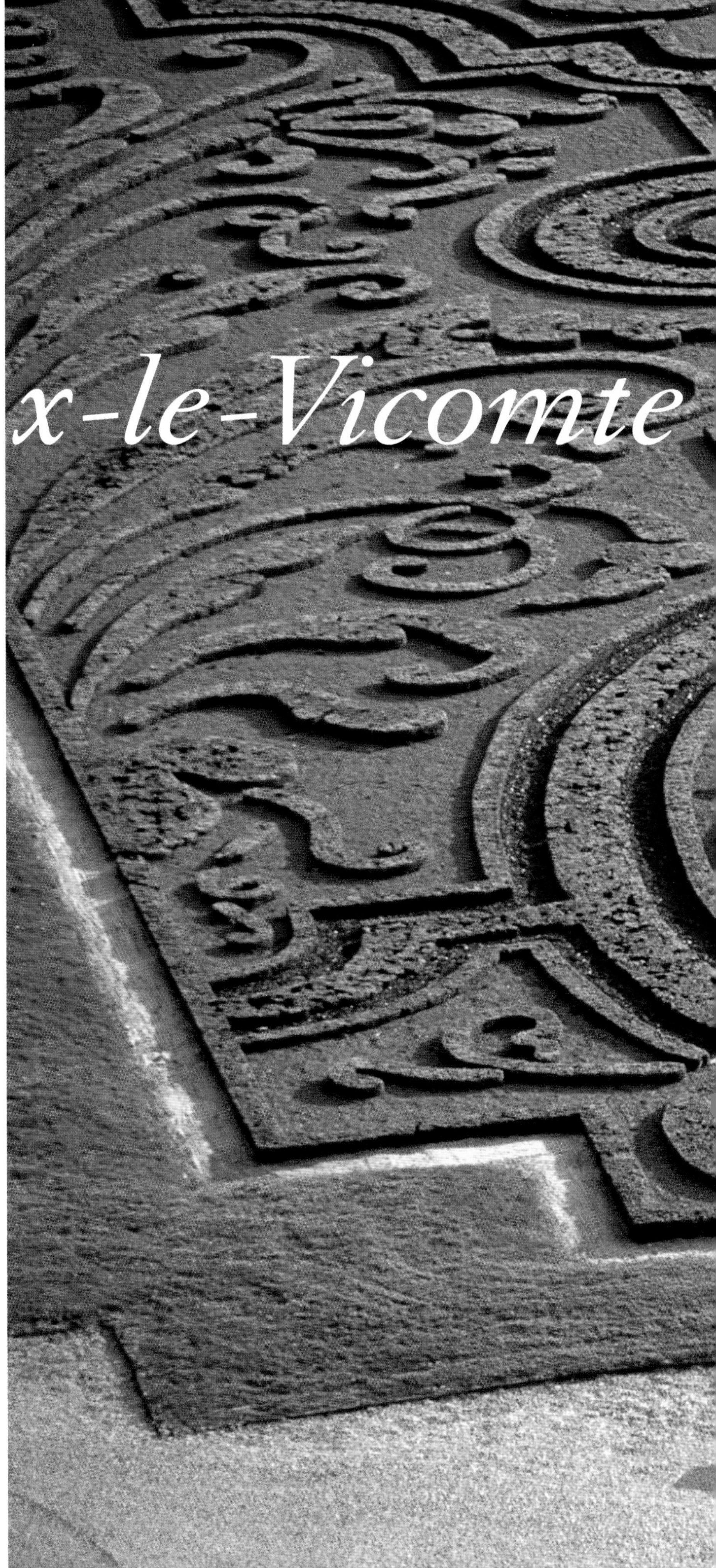

Associé très tôt aux travaux entrepris par Fouquet, Le Nôtre contribua à faire de Vaux-le-Vicomte un chef-d'œuvre.

Le parterre de broderie devant le château.

Les parterres de broderie végétale sur un fond couvert de particules minérales (sable, terres de différentes couleurs, mâchefer, ardoises ou tuiles pilées) connurent une lente évolution entre les premiers modèles dans le dernier tiers du XVIe siècle et leur apogée sous André Le Nôtre. Toujours situés au pied du bâtiment, ceints de terrasses afin d'en voir mieux les détails, les parterres de broderies de buis atteignirent avec Le Nôtre une ampleur sans précédent obligeant à fournir un dessin plus serré au premier plan et plus lâche dans le lointain.

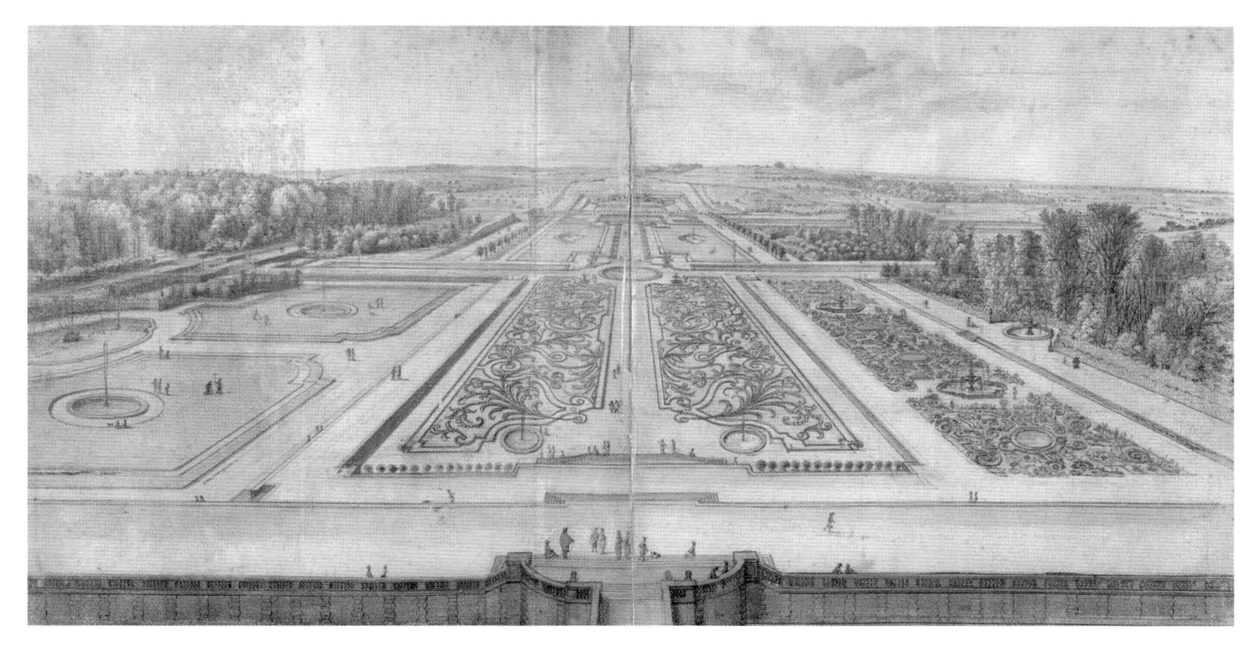

Israël Silvestre (1621-1691), *Album,* folio 20 : château de Vaux-le-Vicomte, vue et perspective générale des jardins, seconde moitié du XVIIe siècle.

Aquarelle, encre brune, lavis brun, pierre noire, plume (dessin), 42,6 x 79,3 cm. Paris, musée du Louvre, DAG.

« Ce que je dis pour vous,
je le dis pour les autres ;
Tout ce qu'ont fait dans Vaux
les Le Brun, les Le Nôtre
Jets, cascades, canaux,
et plafonds si charmants,
Tout cela tient de moi
ses plus beaux ornements. »

Jean de La Fontaine,
Le Songe de Vaux, 1661.

La féerie de Vaux offerte au roi et à toute la cour le 17 août 1661 resta à jamais gravée dans les mémoires. L'arrestation de Fouquet le 5 septembre suivant et le procès qui se prolongea pendant plusieurs années marquèrent tous les esprits. Les merveilles de Vaux, dont la nouveauté et la splendeur étaient connues du roi et de Colbert bien avant ces événements, avaient déjà été gravées à la demande de Fouquet. En diffusant largement la renommée du maître des lieux et les splendeurs de ses réalisations, ces estampes révélèrent au monde le talent des principaux artistes du roi que Fouquet avait réunis pour édifier une œuvre unique. Le Vau, Le Brun et Le Nôtre, déjà renommés pour leurs talents, devinrent célèbres grâce au surintendant.

Contrairement à ce qui a toujours été affirmé, Le Nôtre intervint très en amont dans la conception de l'ensemble du domaine, dès 1639, en conseillant Fouquet, avant même que l'acte d'achat de Vaux n'ait été signé. L'essentiel des travaux ne commença cependant qu'une fois les terrains acquis et les moyens suffisants. Le remariage de Fouquet en 1651, et ses nombreux et judicieux placements lui assurèrent une puissance financière inégalée tandis que sa nomination en tant que surintendant des Finances en 1653 lui fournit l'assise sociale justifiant la réalisation d'un ensemble exceptionnel.

Tous les éléments propres à l'art de Le Nôtre, et qui allaient constituer sa « marque de fabrique », se trouvèrent ici réunis en une démonstration magistrale faite d'équilibre et d'élégance, masquant la complexité des effets voulus derrière un tracé d'une limpidité qui fascina ses contemporains. Sa réussite reposa également sur une organisation professionnelle qui trouva à Vaux sa première illustration attestée, consistant à travailler avec des hommes qu'il connaissait pour les avoir formés ou pour être ses parents. Le succès de cette réalisation et les moyens que le roi ou des grands ministres allaient donner à Le Nôtre lui permirent d'affiner le secret de son art et de le décliner dans des combinaisons toujours renouvelées et spectaculaires.

Ci-dessous, de gauche à droite, au-delà du Grand Canal, les grottes et, derrière le jet d'eau de la gerbe, la silhouette de l'Hercule Farnèse.

Une des rampes qui montent vers l'Hercule avec ses topiaires d'ifs.

Le château vu depuis les jardins.

Double page suivante, le château et ses parterres de broderies.

La perspective depuis le château.

Hortésie, la muse des jardins, naquit à Vaux sous la plume de La Fontaine dans Le Songe de Vaux. *Nulle mieux qu'elle n'a décrit les effets produits par les eaux de l'Anqueil rassemblées en un canal long de mille mètres, réparties en cascades, nappes, grilles d'eau, bassins et fontaines.*
« Je donne au liquide cristal
Plus de cent formes différentes,
Et le mets tantôt en canal,
Tantôt en beautés jaillissantes ;
On le voit souvent par degrés
Tomber à flots précipités ;
Sur des glacis je fais qu'il roule,
Et qu'il bouillonne en d'autres lieux ;
Parfois il dort, parfois il coule,
Et toujours il charme les yeux. »

Trente-trois hectares se déroulent sous les yeux du visiteur qui, hier comme aujourd'hui, expérimente au fil de sa promenade l'extraordinaire maîtrise des espaces qui se transforment à mesure qu'il avance. Chaque fois qu'il pense avoir atteint un point, celui-ci lui en dévoile un autre, sous l'œil omniprésent d'Hercule qui, ses travaux accomplis, se repose sur sa massue, seul élément visible depuis n'importe quel endroit. Parterre de la Couronne, grille d'eau, miroir, cascade, canal et grotte sont quelques éléments magnifiques d'une scénographie unique qui se joue d'un grand axe apparent pour en dévoiler d'autres. Les jardins de Vaux, comme chacune des réalisations de Le Nôtre, ne se découvrent qu'en les arpentant. Alors seulement la magie opère et les lignes, simples en apparence, se mettent à leur tour en mouvement et dévoilent leur richesse et leur complexité.

Au pied de l'Hercule, vue du château et des parterres.

Les parterres de broderies ont été restitués par Achille Duchêne, au début du XXe siècle.

Versailles

Incomparable domaine où règnent le génie du jardinier et la majesté du Roi-Soleil…

Derrière les vases à l'effigie du Roi-Soleil, le bassin de Latone et le Tapis vert.

« Le Nostre a étonné le monde à Versailles. » Nul mieux que James Dallaway (1763-1834) n'a résumé l'importance de l'apport du jardinier-dessinateur au rêve de gloire de Louis XIV. Les éléments ornementaux du jardin jaillirent de sa collaboration avec l'ensemble des acteurs des Bâtiments du roi, mais aussi avec la Petite Académie chargée de donner le programme iconographique. L'emblème du Roi-Soleil frappa tant les imaginations que le principe fut notamment repris par ceux qui, tel Frédéric Ier roi en Prusse, voulurent imiter Versailles.

A Versailles, André Le Nôtre, fort de l'appui de Louis XIV qui lui faisait pleinement confiance, dut relever le défi de proposer un plan répondant à plusieurs impératifs contradictoires : respecter l'œuvre de Louis XIII et le jardin que le jeune roi avait connu enfant, proposer quelque chose de neuf à la hauteur des ambitions de son souverain et enfin tenir compte des impératifs financiers du trésor royal dans un temps où le roi et Colbert voulaient également achever le Louvre et moderniser l'ensemble des maisons royales. Le projet fut annoncé alors que les premiers travaux avaient déjà commencé. Le 25 mars 1662, le roi avait fait savoir : « nous avons résolu d'y faire un nouveau parc d'une étendue considérable. » Il faudra quelque vingt années pour que Versailles atteigne sa forme achevée et devienne résidence officielle de la cour. Saint-Simon a violemment critiqué le site, de manière exagérée. Versailles était sans doute assez plaisant avec son petit château situé sur une butte offrant une vue sur un vallon entouré de collines boisées. Son principal défaut et la clé de sa lente et perpétuelle évolution tint à son manque d'eau en quantité suffisante et à une altitude assez élevée pour permettre les beaux effets que Le Nôtre aimait à déployer. Tributaire de cette contrainte majeure, les jardins se développèrent en plusieurs temps, obligeant à d'incessants remaniements pour un approvisionnement maximal obtenu par l'aménagement d'étangs et de réservoirs toujours plus nombreux jusqu'à la construction de la Machine de Marly et les travaux inachevés de dérivation de l'Eure.

Le Nôtre conçut le plan d'ensemble dès le départ autour d'un double axe déterminé par le premier château et ses premiers jardins. Si la réalisation fut progressive, elle fut irréversible jusqu'à constituer un axe est-ouest long de treize kilomètres, comprenant pour la seule partie des quatre-vingts hectares consacrés aux jardins un développement qu'il s'agissait d'aménager pour éviter la monotonie qu'auraient pu engendrer de telles distances. Le faible dénivelé du terrain augmentait la difficulté. Le Nôtre déploya

Étienne Allegrain (1644-1736), *Promenade de Louis XIV en vue du parterre du Nord dans les jardins de Versailles,* vers 1688. Huile sur toile, 234 x 296,5 cm. Versailles, châteaux de Versailles et de Trianon.

Vue des jardins, de l'Allée royale et du Grand Canal depuis une fenêtre ouverte de la Galerie des Glaces.

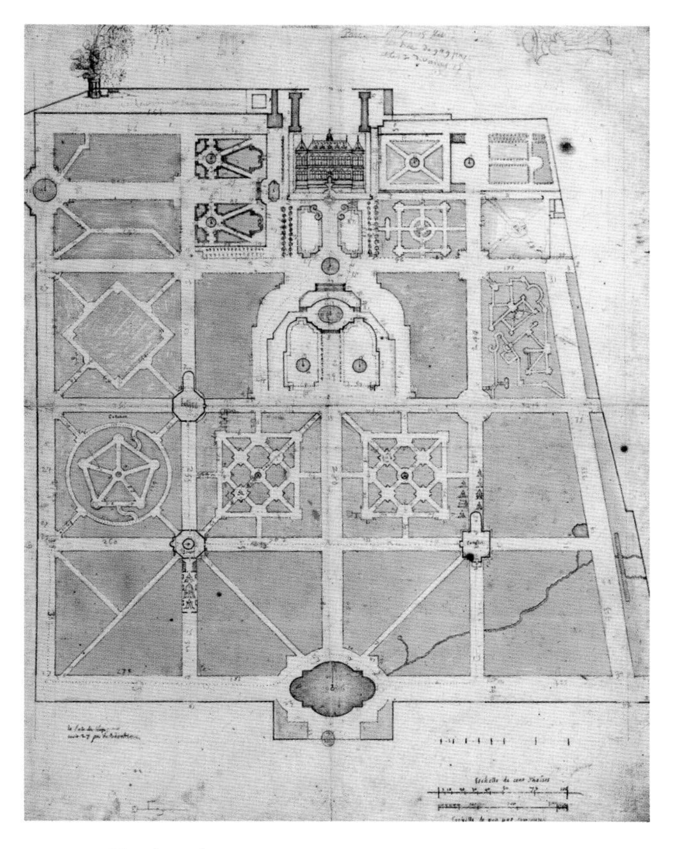

Plan des jardins du château de Versailles pour les fêtes du 18 juillet 1668, XVIIe siècle. Dessin. Paris, Bibliothèque nationale de France

À droite, vue depuis le château, la perspective du Tapis vert, du bassin d'Apollon et du Grand Canal.

Louis XIV voulut conserver le petit château de cartes « dont un gentilhomme n'eut pas tiré vanité », mais aussi le petit parc de son enfance. La trame orthogonale des bosquets fut conservée, chacun des carrefours servit de cadre aux premières fêtes de Louis XIV, comme le « canal » de Louis XIII. Ce dernier, renommé bassin d'Apollon, devint l'élément clé à partir duquel Le Nôtre réorganisa de part et d'autre à la fois le jardin et le nouveau parc. Le nouveau canal, implanté dans la partie la plus humide du vallon, partage l'axe est-ouest. Seul un plan permet d'appréhender l'ampleur des pièces d'eau créées par Le Nôtre. Qui peut deviner, au-delà de la ligne qui file vers l'horizon, les trois immenses bassins et les deux bras qui permettaient d'accéder en bateau à la Ménagerie et à Trianon ?

son génie en un jeu de terrasses et de rampes, de fers à cheval et de bassins, d'allées élargies et redéployées vers les bosquets et jusqu'à l'ancien rondeau ou canal de Louis XIII transformé en bassin d'Apollon. Le nouveau canal paracheva une perspective conçue en une succession de points de vue dont le roi se plaira à être le guide au point de rédiger six versions de sa *Manière de montrer les jardins de Versailles.*

Les bosquets furent aménagés dans un second temps en véritables salons de verdure. Alors que le canal venait tout juste d'assécher la zone marécageuse du petit parc, le bosquet du Marais au nord vint paradoxalement évoquer un état qu'on s'employait à supprimer. Au sud, pendant longtemps, le Labyrinthe avec son décor composé de trente-huit puis trente-neuf fontaines constitua le seul bosquet aménagé. Les bosquets de l'Encelade ou la salle du Bal témoignent encore aujourd'hui de la prédilection de Le Nôtre pour les matériaux simples : le bois, la rocaille et le gazon ou son goût pour les fleurs dont il orna parterres et bosquets.

Sous la houlette de Le Nôtre, les jardins devinrent un élément à part entière du cérémonial de la cour, offrant une prolongation en plein air de la splendeur des aménagements intérieurs. Ils furent aussi faits de renoncements. La grande cascade rêvée par Le Nôtre ne vit jamais le jour. Quant à son bosquet des Sources, préfiguration des jardins anglais, il dut céder la place à la Colonnade de Mansart, première victoire de l'art du « maçon » sur celui du « jardinier ».

Côté ville, Le Nôtre accomplit son œuvre dans le tracé des avenues comme dans l'aménagement des jardins. Celui de Clagny pour Madame de Montespan étant le plus connu. Si la conception interne du potager revint à La Quintinie, son emplacement fut décidé par Le Nôtre au moment de la prolongation de l'axe nord-sud et l'aménagement de la pièce d'eau des Suisses.

École française,
Vue du château de Versailles sur le parterre d'eau,
vers 1675. Huile sur toile,
102,8 x 143,2 cm.
Versailles, châteaux de Versailles et de Trianon.

Vue du jardin avec, au premier plan, le parterre et le bassin de Latone, puis les deux bassins du parterre d'Eau.

« En face d'un parterre au palais opposé
Est un amphithéâtre en rampes divisé :
La descente en est douce, et presque imperceptible ;
[…] Au bas de ce degré Latone et ses jumeaux
De gens durs et grossiers font de vils animaux,
Les changent avec l'eau que sur eux ils répandent.
Déjà les doigts de l'un en nageoires s'étendent ;
L'autre en le regardant est métamorphosé :
De l'insecte et de l'homme un autre est composé :
Son épouse le plaint d'une voix de grenouille ;
Le corps est femme encor. Tel lui-même se mouille,
Se lave, et plus il croit effacer tous ses traits,
Plus l'onde contribue à les rendre parfaits.
La scène est un bassin d'une vaste étendue.
Sur les bords cette engeance insecte devenue
Tâche de lancer l'eau contre les déités. »

La Fontaine, *Les Amours de Psyché et de Cupidon*, 1669

Nul endroit mieux que Trianon n'a symbolisé le royaume de Flore. « Tout le parterre va en pente douce et toujours rempli d'arbres à fleurs et plantes annuelles, et de l'autre côté de même, le long des deux rampes du grand escalier », expliquera Le Nôtre quelques années plus tard. Il faut en effet imaginer le grand parterre de pièces coupées au pied du château que Le Nôtre avait fait abaisser afin de mettre davantage en valeur le fleurissement, ces « deux parterres en bandes remplies de fleur », en éventail plus ou moins ouvert selon l'angle à rattraper de part et d'autre de l'escalier en fer à cheval pour assurer la liaison avec l'axe du canal, enfin le Jardin du roi fleuri en toute saison grâce à plusieurs milliers de pots que l'on changeait parfois quotidiennement.

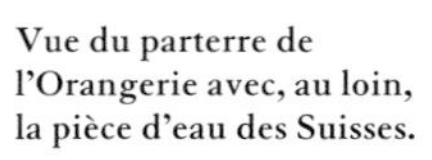
Vue du parterre de l'Orangerie avec, au loin, la pièce d'eau des Suisses.

Le bassin de Neptune.

L'allée des Marmousets.

Vue du jardin fleuri devant le péristyle du Grand Trianon.

Le Printemps est symbolisé par Flore et ses amours, une crétaion de Jean-Baptiste Tuby (1635-1700).

Dans le bosquet de l'Encelade, le géant, au centre du bassin, fut sculpté par Gaspard de Marsy (1624-1681).

Détail ornemental du bosquet de la salle du Bal.

La salle du Bal fut aménagée par Le Nôtre entre 1680 et 1683.

Page de droite, Jean Cotelle le Jeune (1642-1708), *Vue des parterres de Trianon avec Flore et Zéphyr,* 1688. Huile sur toile, 201 x 139 cm. Versailles, châteaux de Versailles et de Trianon.

Double page suivante, Pierre Patel (v. 1605-1676), *Le Château de Versailles,* 1668. Huile sur toile, 115 x 161 cm. Versailles, châteaux de Versailles et de Trianon.

Chantilly

Le Nôtre créa l'ensemble de ce domaine, jusqu'à ses routes. Il faut dire qu'il lui portait une grande affection.

Parterres de broderie et topiaires d'ifs.

La sculpture tenait une part privilégiée dans les jardins de Le Nôtre et prit des formes plus riches et plus variées qu'on ne le suppose. Loin de se limiter à la pierre, au marbre, au plomb ou au bronze, il conçut ses jardins en invitant les fontainiers à sculpter l'eau avec des jeux d'ajutages et les jardiniers à tailler leurs végétaux sous forme de topiaires dont la variété des motifs nous est connue grâce à quelques rares dessins.

Le Nôtre modifia totalement les accès au château. Il fit de la terrasse avec la statue du connétable Henri II de Montmorency le point central de sa composition ordonnée autour d'un double axe qu'il créa, celui nord-sud venant couper celui est-ouest constitué par la Nonette transformée en un canal, long de deux mille cinq cents mètres sur trente de large et réalisé entre 1671 et 1673.

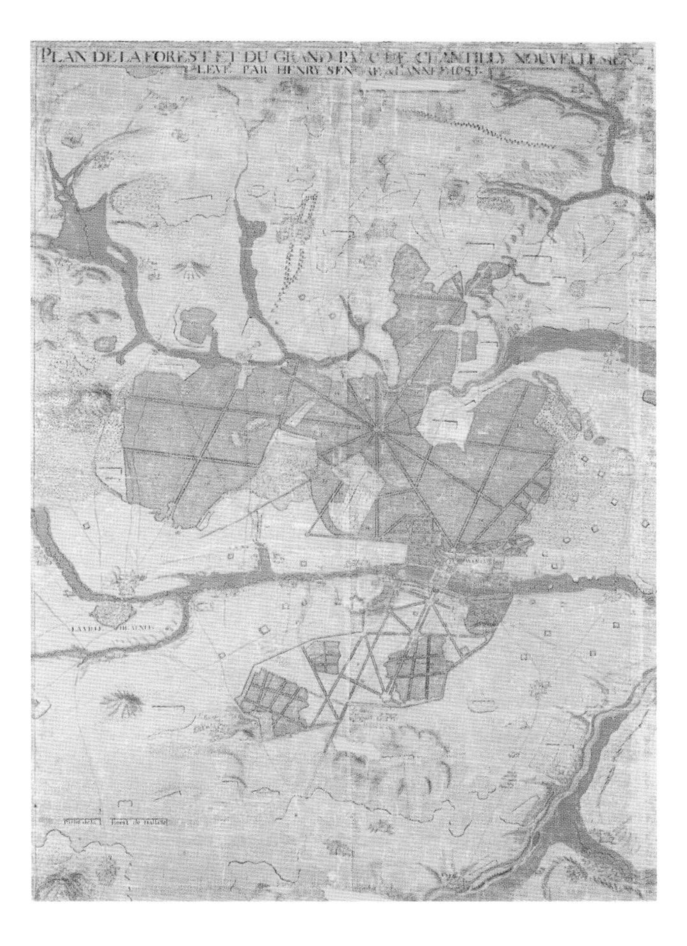

Anonyme, *Plan de la Forest et du Grand Parc de Chantilly nouvellement levé par Henry Sengre en l'année 1683.* 107 x 150 cm. Chantilly, musée Condé.

Page de droite, le parterre à la française constitué de miroirs d'eau qui reflètent le ciel avec intensité.

Double page suivante, à Chantilly, Le Nôtre a canalisé la Nonette, un affluent de l'Oise, pour créer le Grand Canal.

Chantilly fut l'une des réalisations dont Le Nôtre tira le plus de fierté. Comme il le confia dans l'une des rares lettres conservées de sa main, il a « tout conduit jusqu'à sa dernière avenue ». C'était un lieu qu'il aimait profondément, qu'il connaissait de manière intime et depuis toujours. Son père possédait une maison non loin de Senlis, à quelques kilomètres de la Nonette, et ce, au moment où le duc de Montmorency faisait aménager l'aqueduc de Saint-Léonard qui permit dès 1627 d'alimenter les premiers jardins du château de Chantilly.

Pendant de nombreuses années, Louis II de Bourbon, prince de Condé, trouva dans l'accroissement et l'aménagement de son immense domaine un dérivatif à sa disgrâce à la suite de la Fronde. Il y consacra toute son énergie. Le chantier, qui s'étala entre 1662 et 1686, est l'une des réalisations de Le Nôtre les mieux documentées. Concepteur de l'ensemble du grand parc de chasse, des grands axes, des accès, du canal, des cascades jusqu'au parterre de l'orangerie, il apparaît sur le terrain tout à la fois architecte donnant les ordres pour modifier le plan de l'avant-cour, hydraulicien dessinant une machine pour améliorer le fonctionnement d'une fontaine ou donnant des conseils pour modifier la gerbe qui ne produit pas l'effet souhaité, jardinier recommandant et fournissant les végétaux nécessaires.

On découvre le Grand Condé en commanditaire dépendant du bon vouloir de son maître d'œuvre, ayant le plus grand mal à obtenir la venue de Le Nôtre, absorbé par ses réalisations pour le roi, harcelé de demandes jusque dans sa maison des Tuileries où les courriers du prince guettent son retour pour lui soutirer les plans attendus. On découvre encore comment une autre fête, celle donnée pour le roi les 23 et 24 avril 1671, bien que marquée par le suicide de Vatel, met en valeur les réalisations de Le Nôtre et permet le retour en grâce définitif du Grand Condé.

École française, *Vue du château de Chantilly et des parterres pris du Vertugadin,* fin XVIIe siècle. 26 x 34,5 cm. Chantilly, musée Condé.

Ci-dessous, le parterre dessiné par Le Nôtre comprend des bassins, des jets d'eau et un programme statuaire.

Le Nôtre fit progressivement de l'eau un élément majeur de ses compositions. Déjà à Versailles, il substitua au traditionnel parterre de broderies situé au pied de la façade principale du château un parterre d'eau. À Chantilly, il lui donnera une extension nouvelle de part et d'autre de la manche du canal. Ses proportions et son équilibre atteignirent une perfection que relèvera l'architecte suédois Tessin pour proposer une réplique pour les jardins de Drottningholm.

Tony Noel (1845-1909), statue d'André Le Nôtre.

« Si ma grande jeunesse eût pu me faire aller, je sais le plaisir que j'aurais fait à Son Altesse et j'aurais eu l'honneur de vous faire remarquer les beaux endroits et vous faire avouer que c'est un beau naturel de voir tomber une rivière d'une chute étonnante et faire l'entrée d'un canal sans fin. Il ne faut point demander d'où vient l'eau de ce canal. Pardonnez, je m'emporterais sur beaucoup de choses, ayant tout conduit jusques à sa dernière avenue et entrée en sortant de la forêt pour venir sur la terrasse ce qui se voit du coup d'œil sur le bord du grand escalier. »

Lettre de Le Nôtre à William Bentinck, comte de Portland, surintendant des Jardins royaux d'Angleterre, ambassadeur d'Angleterre en France de janvier à juin 1698.

Saint-Germain-en

Pour mettre en valeur la vue exceptionnelle sur la Seine, Le Nôtre inventa l'une de ses réalisations les plus magistrales : la Grande Terrasse.

Vue des grands parterres depuis le toit du château.

Du côté de l'aile nord du Château Vieux de Saint-Germain, Le Nôtre fit abattre le mur d'enceinte et le remplaça par un saut de loup encadré de part et d'autre par une grille, à l'extrémité de l'ancien parterre de Louis XIII qu'il redessina, allongea, dota de trois bassins et fit planter en 1670. Au-delà, « l'avenue pour aller à Maison », aujourd'hui avenue des Loges, se prolongeait créant non seulement une nouvelle perspective, mais aussi un nouvel axe.

-Laye

Saint-Germain-en-Laye et son Château Vieux, séjour de prédilection des rois depuis François Ier, s'est enrichi sous Henri II d'un Château Neuf au bord de l'eau puis sous Henri IV de jardins en terrasses, modifiés sous Louis XIII, aujourd'hui disparus. Louis XIII y avait grandi, c'est là qu'il voulut mourir. L'état d'abandon de l'ensemble au début du règne de Louis XIV appelait des travaux urgents.

Louis XIV, qui était né à Saint-Germain et y avait trouvé refuge avec sa mère pendant la Fronde, en fit la résidence de la cour de 1672 à 1682. Ce fut la grande période de Saint-Germain, celle du temps des « trois reines », Marie-Thérèse, Madame de Montespan et Madame de Maintenon. Saint-Germain accueillit également les souverains anglais en exil : Charles II, puis son frère, Jacques II, cousin germain de Louis XIV, qui avait épousé en secondes noces Marie de Modène. Jusqu'à la fin de sa vie, Louis XIV vint régulièrement se promener « en famille » dans les jardins réaménagés par Le Nôtre.

Dès 1663, Le Nôtre était sur place pour veiller à la replantation et la reconstruction des jardins. Il conçut des projets ambitieux autour du Château Neuf ; seuls un nouveau parterre et un boulingrin furent réalisés tandis que de l'autre côté de la Seine, la forêt fut percée d'un maillage de carrefours en étoile afin de relier Saint-Germain à Paris. Louis XIV choisit de faire porter les efforts autour du Château Vieux auquel il était plus attaché. Le Nôtre réaménagea l'ensemble avec un nouvel axe formé par le Grand parterre et l'actuelle avenue des Loges.

Mais sa principale réalisation, celle pour laquelle il avouera avoir « bien disputé », demeure la Grande Terrasse, réalisée entre 1669 et 1673. Ouvrage magistral offrant une promenade d'un seul trait de deux mille deux cents mètres de long sur trente de large, elle présente l'apparence trompeuse d'être beaucoup plus courte qu'elle ne l'est et offre une vue à cent quatre-vingts degrés sur toute la boucle de la Seine et sur Paris. Chef-d'œuvre architectural, prouesse scientifique sur le plan de l'optique et de la perspective, elle illustre à elle seule l'ampleur du génie de Le Nôtre, un « jardinier » peu ordinaire.

Une terrasse surélevée fut bâtie au pied du château permettant de voir l'ensemble de la nouvelle composition de Le Nôtre conçue également pour être vue de l'autre extrémité de l'axe. Lorsqu'il créa un boulingrin appelé Jardin de la Dauphine, il sut habilement relier les deux parterres par un bosquet trapézoïdal dans l'espace asymétrique né de leur différence d'orientation. La disposition en triangle des trois bassins, le principal rejeté à l'extrémité du parterre allongé, appartient aux compositions chères à Le Nôtre. Quant aux parterres de broderies, il les aimait tracés en de longs et souples motifs de buis entourés de plates-bandes fleuries où alternaient végétaux persistants, arbustes fleuris, plantes vivaces et bulbes.

À gauche, Adam Perelle (1640–1695), *Vue et Perspective du jardin de Saint-Germain-en-Laye, et de l'avenue pour aller à Maison*, XVIIe siècle. Estampe. Saint-Germain-en-Laye, musée d'Archéologie nationale.

Ci-dessous de gauche à droite, vue du château depuis le jardin.

Le parterre aux bordures fleuries et ses topiaires d'ifs.

Vue sur l'ancien boulingrin ou ancien parterre de la Dauphine.

Double page suivante, vue du grand parterre depuis le château avec une perspective ouvrant sur le lointain.

La Grande Terrasse
depuis différents
points de vue.

Édifiée à la lisière du petit parc, longeant une « haute futaie de bonne essence », la Grande Terrasse présentait en aval un mur sans balustrade seulement bordé d'une margelle de pierre et en amont d'un rideau d'arbres d'un seul tenant interrompu au premier quart par une demi-lune ouvrant sur une allée. Composée aujourd'hui de tilleuls, elle fut plantée en 1672 par Le Nôtre d'un alignement d'ormes devant une palissade de treillage et de charmilles qui clôturait les boisements du Petit Parc. Conçue pour la promenade à cheval et en carrosse, elle était entièrement sablée.

Saint-Cloud

Pour ce château mythique, aujourd'hui disparu, Le Nôtre composa un jardin symphonique où l'eau tient le premier rôle.

Le Bernin, lors de son séjour en France en 1665, vint voir la grande cascade de Saint-Cloud, œuvre de Le Pautre et n'en apprécia pas l'artifice : « C'est ce qui ne va pas dans cet ouvrage ; on devrait déguiser davantage l'art et chercher à donner aux choses une apparence plus naturelle, mais en France, généralement, tout le monde cherchait l'effet inverse. » Le Nôtre modifia l'ensemble en l'allongeant et en lui ajoutant un effet de goulettes qui lui était cher et qu'il employa à maintes reprises comme à Vaux ou à Versailles.

Adam Frans Van der Meulen (1632-1690), *Vue de la Grande Cascade, des parterres et du château de Saint-Cloud,* 1651-1675. Huile sur toile, 180 x 334 cm. Versailles, châteaux de Versailles et de Trianon.

Saint Cloud, chargé d'histoire, château au destin exceptionnel, site d'une beauté à couper le souffle, occupe une place à part dans les créations et réalisations de Le Nôtre qui tient autant à la carence documentaire qu'à l'histoire même des lieux. Il est généralement admis de considérer son intervention limitée dans le temps, à la période où Saint-Cloud appartient à Monsieur, frère du roi, Philippe d'Orléans, frère de Louis XIV, mais aussi limitée dans l'espace avec la réalisation assurée d'une décoration de treillage, du parterre de Vénus, dit aussi de Trianon, situé à l'extrémité sud de l'actuelle allée du mail, et enfin de la partie cohérente du Haut-Parc et au-delà, mais aussi le projet grandiose d'une nouvelle arrivée jamais réalisée.

André Le Nôtre a été cependant premier jardinier de Monsieur, frère du roi : d'abord de Gaston d'Orléans, frère de Louis XIII, de 1635 à sa mort en 1660, puis de Philippe d'Orléans, frère de Louis XIV qui reçut en 1658 Saint-Cloud en cadeau de son frère. Le Nôtre, qui a dessiné et dirigé l'ensemble des jardins du roi et de Gaston d'Orléans, peut-il ne pas être le concepteur des jardins de Philippe d'Orléans ? D'autant que des contrats signés à la fin de sa vie attestent de son intervention pour lui au Palais-Royal et qu'un portrait de Madame rappelle chez lui des liens effectifs. Dès lors, il convient de considérer avec Piganiol de la Force et Dezalllier d'Argenville, « qu'il en a fait un chef-d'œuvre ». Les jardins de Saint-Cloud ne sont pas une création ***ex nihilo,*** car de nombreux jardins préexistaient, mais il s'agit, ici comme ailleurs, d'une œuvre de collaboration avec, entre autres, le premier architecte de Monsieur, Antoine Le Pautre et plus tard Jules Hardouin-Mansart.

Sophie de Hanovre s'est rendue avec sa fille en France en 1678. Elle a décrit sur le coup « Versailles qui passe tout ce qu'on peut imaginer », même si ensuite son souvenir se modifia, profondément marqué par la destruction de son pays par les troupes de Louis XIV et du célèbre jardin de son père, Hortus Palatinus. Les jardins de Saint-Cloud où elle avait été reçue par sa nièce, la princesse Palatine, épouse de Monsieur, frère du roi, avaient été pour elle « des lieux enchantés aux bruits des cascades et à l'ombre ». Elle confiera ravie : « J'étais logée dans une chambre d'où je pouvais entrer dans le jardin qui est le plus beau du monde, tant pour la situation que pour les eaux. »

Ci-dessous, de haut en bas et de gauche à droite, vue du bassin du Fer à cheval, situé en contrebas de la terrasse.

Le deuxième axe tracé par Le Nôtre s'étire vers le nord depuis la terrasse où s'élevait le château.

Adam Pérelle (1640-1695), *Vue et perspective du château et du canal de Saint-Cloud,* 1670-1695. Eau-forte coloriée. Paris, Bibliothèque nationale de France.

Double page suivante, vue de la Grande Cascade.

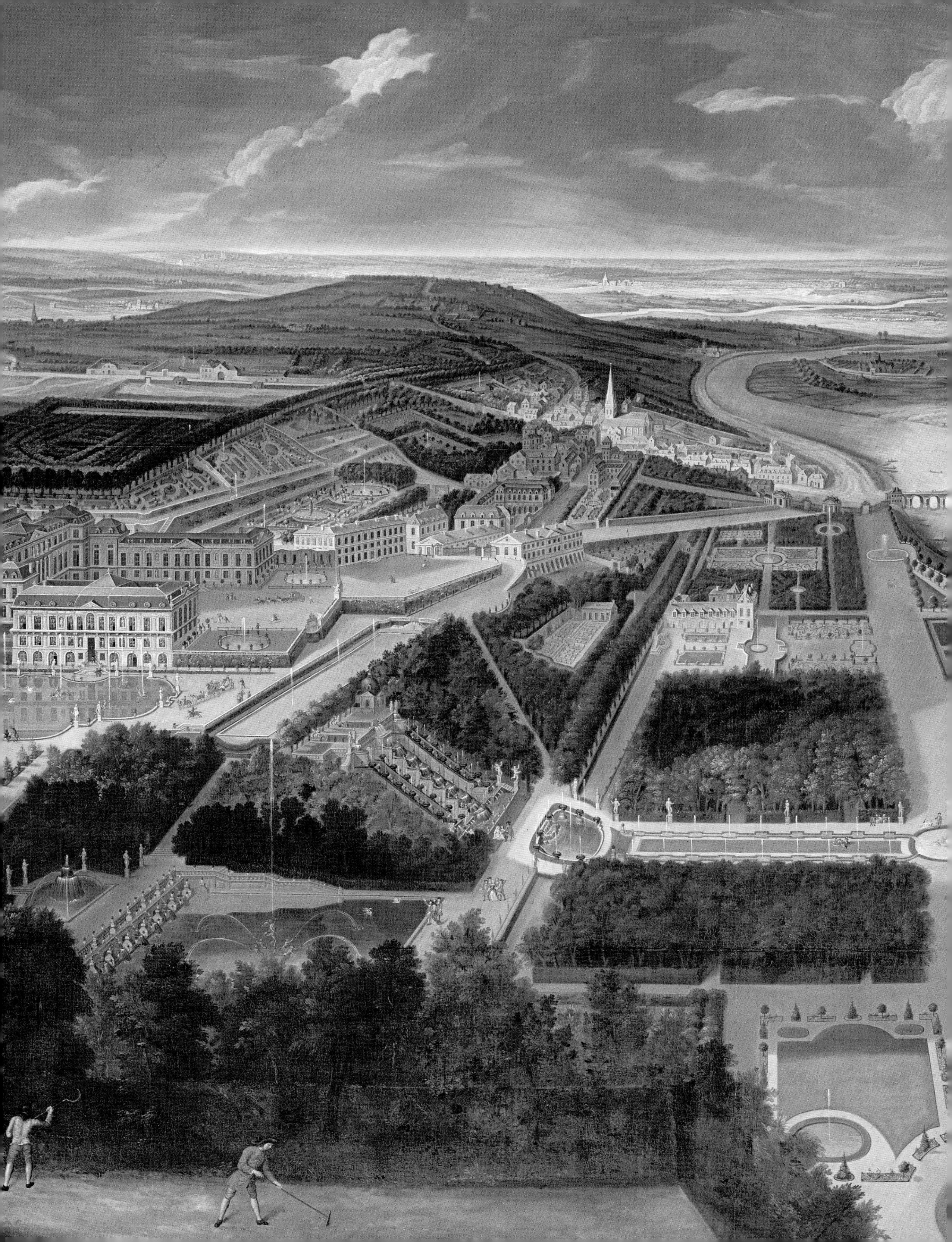

Saint-Cloud

Piganiol de la Force dans sa Nouvelle Description de la France *a parfaitement résumé la difficulté de créer un jardin unifié à Saint-Cloud. « Quoique les jardins soient tout à fait irréguliers non seulement par la disposition du terrain, mais encore par leur forme et par leur enceinte, Le Nôtre a ménagé toutes ses choses avec tant d'art que tout paraît régulier et qu'il en a fait un chef-d'œuvre. » La puissance des axes que Le Nôtre a réussi à dégager, malgré plusieurs jardins préexistants à son arrivée pour la partie basse du parc et grâce à de nombreuses acquisitions dans la partie haute, n'en est que plus remarquable.*

Étienne Allegrain (1644-1736), ***Vue cavalière du château, jardins bas et de la ville de Saint-Cloud,*** **XVIIe siècle. Huile sur toile, 300 x 383 cm. Versailles, châteaux de Versailles et de Trianon.**

Vue aérienne du parc de Saint-Cloud, perspective sur Paris depuis la Grande Gerbe.

À lire

Patricia Bouchenot-Déchin,
André Le Nôtre, Fayard,
avril 2013.

L'auteur est co-commissaire de l'exposition « André Le Nôtre en perspectives, 1613 -2013 », château de Versailles du 22 octobre 2013 au 22 février 2014, elle est directeur avec Georges Farhat de l'ouvrage collectif éponyme (Hazan/ Château de Versailles/Yale University press, octobre 2013). Chercheur associé au Centre de recherche du Château de Versailles et du laboratoire de l'École d'architecture de Versailles, rattachée AM:HAUS (Actualités des modernismes: histoire, architecture, urbanisme, sociétés).

Vaux-le-Vicomte

Château de Vaux-le-Vicomte
77950 Maincy
Tél. 01 64 14 41 90
www.vaux-le-vicomte.com
Le domaine est ouvert à la visite tous les jours du 9 mars au 11 novembre, de 10 h à 18 h. Autres périodes, consulter le site Internet.

Pour s'y rendre en voiture
Depuis Paris par l'A4 ou l'A6, puis la Francilienne (N104) direction Troyes par l'A5, Sortie N° 15 « Saint-Germain Laxis ».
Le domaine se trouve à 2 km.
Coordonnées GPS
Latitude : 48°33' 52 N
Longitude : 002°42' 52 E

Pour s'y rendre en train
- Depuis Paris : en TER, par la gare de Lyon, direct jusqu'à Melun.
- À partir de Melun, en taxi (01 64 52 51 50) ou en navettes « ChateauBus » durant les week-ends et les jours fériés.

Versailles

Château de Versailles
Place d'Armes – 78000 Versailles
Tél. 01 30 83 78 00
www.chateauversailles.fr

Château
- Du 1er novembre au 29 mars : ouvert tous les jours sauf le lundi, de 9 h à 17 h 30.
- Du 1er avril au 31 octobre : ouvert tous les jours sauf le lundi, de 9 h à 18 h 30.

Châteaux de Trianon et Domaine de Marie-Antoinette
- Du 1er novembre au 29 mars : ouverts tous les jours sauf le lundi, de 12 h à 17 h 30.
- Du 1er avril au 31 octobre : ouverts tous les jours sauf le lundi, de 12 h à 18 h 30.

Jardin et Parc
- Du 1er novembre au 29 mars : ouverts tous les jours de 8 h à 18 h.
- Du 1er avril au 31 octobre : ouverts tous les jours de 7 h à 19 h pour les véhicules et 7 h à 20 h 30 pour les piétons.

Pour s'y rendre en RER
Ligne C, billet Paris-Versailles Rive gauche zones 1-4.

Pour s'y rendre en train
- Arrivée en gare de Versailles Chantiers depuis Paris Montparnasse.
- Arrivée en gare de Versailles Rive droite depuis Paris Saint-Lazare.

Pour s'y rendre en voiture
Autoroute A13
sortie Versailles Centre.
Coordonnées GPS
Latitude : 48°48'17 N
Longitude : 2°07'15 E

Chantilly

Domaine de Chantilly
60500 Chantilly
Tél. 03 44 27 31 80
www.chateaudechantilly.com

Musée Condé,
château, jardins et parc
- Du 1er février au 29 mars : ouverts tous les jours sauf le mardi, de 10 h 30 à 17 h. Fermeture du parc à 18 h.
- Du 30 mars au 29 septembre : ouverts tous les jours de 10 h à 18 h. Fermeture du parc à 20 h.
- Du 30 septembre au 27 octobre : ouverts tous les jours sauf le mardi de 10 h à 18 h. Fermeture du parc à 20 h.
- Du 28 octobre au 31 décembre : ouverts tous les jours sauf le mardi, de 10 h 30 à 17 h. Fermeture du parc à 18 h.

Musée vivant du cheval
Grandes Écuries
- Du 30 mars au 29 septembre : ouverts tous les jours de 10 h à 18 h. Fermeture du parc à 20 h.
- Du 30 septembre au 27 octobre : ouverts tous les jours sauf le mardi de 10 h à 18 h. Fermeture du parc à 20 h.
- Du 28 octobre au 31 décembre : ouverts tous les jours sauf le mardi, de 10 h 30 à 17 h. Fermeture du parc à 18 h.
- Ouverture du domaine 7 jours sur 7 du 30 mars au 29 septembre.

Pour s'y rendre en voiture
Autoroute du Nord (A1)
- de Paris : sortie Chantilly
- de Lille : sortie Survilliers

ou RN 16 ou RN 17.
Coordonnées GPS
Latitude : 49° 11' 670 N
Longitude : 002° 28' 930 E

Pour s'y rendre en RER
RER ligne D, descendre à l'arrêt Chantilly-Gouvieux.

Pour s'y rendre en train
De gare du Nord SNCF grandes lignes de Châtelet-Les Halles

De la gare de Chantilly au château
- En taxis depuis la gare : 5 minutes
- En bus : Desserte urbaine cantillienne (bus gratuit de la ville) : départ de la gare routière, descendre à « Chantilly, église Notre-Dame »
- À pied depuis la gare, environ 22 minutes.

Saint-Germain-en-Laye

Musée d'Archéologie nationale
et Domaine national
de Saint-Germain-en-Laye
Château, place Charles de Gaulle
78100 Saint-Germain-en-Laye
Tél. 01 39 10 13 00
www.musee-archeologienationale.fr

Le musée est ouvert tous les jours sauf le mardi, de 10 h à 17 h.

Pour s'y rendre en RER
Ligne A, station Saint-Germain-en-Laye située devant le château.

Pour s'y rendre en bus
- Autobus RATP 256 depuis la Défense.
- Bus Véolia Transports : ligne N° 1 depuis Versailles ; ligne N° 2 depuis Maisons-Laffitte ; ligne N° 10 depuis Marly-le-Roi ; ligne N° 27 depuis Cergy Pontoise.

Pour s'y rendre en voiture
Autoroute de l'Ouest A13, RN190, RN13, N186.

Saint-Cloud

Domaine national de Saint-Cloud
92210 Saint-Cloud
Tél. 01 41 12 02 90
saint-cloud.monuments-nationaux.fr
- En mars, avril, septembre et octobre : ouvert tous les jours de 7 h 30 à 21 h.
- De mai à août : ouvert tous les jours de 7 h 30 à 22 h.
- De novembre à février : ouvert tous les jours de 7 h 30 à 20 h.

Pour s'y rendre en métro
- Ligne 9, station Pont-de-Sèvres,
- Ligne 10, station Boulogne Pont-de-Saint-Cloud.

Pour s'y rendre en bus
Lignes 52, 72, 126, 160, 169, 171, 175, 179, 460 et 467.

Pour s'y rendre en train
- Gare Saint-Lazare ou La Défense, arrêt Saint-Cloud.
- Tramway : ligne T2.

Pour s'y rendre en voiture
- Depuis Paris : Porte de Saint-Cloud puis D907.
- DepuisVersailles : D 985

Coordonnées GPS
Latitude : 48° 83' 68 N
Longitude : 002° 21' 82 E